Ökonomien der Zukunft

Ökonomien der Zukunft

Perspektivwechsel

Die Essays zusammen betrachtet

Sebastian Guggolz

Inhalt

Einleitung

»Menschen können zählen, und das tun sie auch, und darum haben sie Geld. [...] Also, solange die Erde sich dreht, solange wird es Menschen auf ihr geben, und solange es Menschen auf ihr gibt, solange werden sie zählen, und sie werden Geld zählen. Jeder zählt immer Geld.«

Gertrude Stein, *Geld. Geld - Mehr über Geld - Noch mehr über Geld - Alles über Geld - Ein Letztes über Geld*

Geld und die Ökonomien der Gegenwart haben einen ambivalenten Ruf. Einerseits geht es uns hierzulande derzeit gut wie nie, die Arbeitslosenquote sinkt, die Exportzahlen stehen stabil im Gewinnbereich, von allen Seiten hört man von Wachstum und Handelsüberschüssen und Rekordsteuereinnahmen. Gleichzeitig wird aber fast verschämt ein Jahresgewinn ausgewiesen, unter Kollegen das Gehalt verschwiegen, heimlich ein Kredit aufgenommen, um sich einen Urlaubswunsch oder den Traum vom eigenen Haus zu verwirklichen - immer wieder sind Geld und die ökonomischen Umstände in der öffentlichen Diskussion mit Problemen, bedenkenreichen Prognosen oder Peinlichkeit besetzt. Und obwohl wir uns derzeit in wirtschaftlich so außerordentlich rosigen Zeiten befinden, werden gleichzeitig mit den Erfolgsmeldungen

Ängste geschürt und Warnungen ausgesprochen: vor Kollaps, vor Rezession, vor platzenden Blasen.

Nimmt man sich die sechs Essays dieser Box über Ökonomien der Zukunft vor – in denen verschiedene Aspekte herausgegriffen werden und Pläne entworfen, Modelle skizziert, Aussichten beschrieben –, ist unübersehbar, dass die Ökonomien der Zukunft bereits heute begonnen haben. Deshalb ist es auch so wichtig, dass wir die Entwicklungen, die sich für die Zukunft abzeichnen, erkennen, beschreiben und analysieren. Je früher wir uns ihnen widmen, desto besser sind wir auf sie vorbereitet und können aktiv gestaltend an ihnen mitwirken.

Die Krypto-Währungen, über die *Milosz Matuschek* und *Philipp Mattheis* in *Kryptopia* schreiben, gibt es bereits heute. Ob sie sich durchsetzen, ist eine andere Frage, die auch Matuschek und Mattheis noch nicht beantworten können. Ihr Essay ist nicht nur ein Logbuch einer Reise in die digitale Welt der Krypto-Währungen, er liefert auch Visionen und Möglichkeiten der künftigen Entwicklung und lässt diese für viele fremde und mit Unbehagen verbundene digitale Ökonomie als Versprechen voller Potenzial aufscheinen.

Auch die von *Mara Catherine Harvey* geforderten Maßnahmen, um Frauen stärker in den Finanzsektor einzubinden und sie zu ermutigen, ihre Scheu und ihre Berührungsängste mit risikobehafteten Investitionen abzulegen, sollten – dessen ist man sich spätestens nach der Lektüre ihres Essays *Women and Risk* bewusst – möglichst heute schon umgesetzt oder wenigstens in Angriff genommen werden. Auf die Nachteile, die durch die Ungleichbehandlung von Frauen entstehen, können wir getrost verzichten.

Justus Haucap beleuchtet die Fragen zur Verwendung von Daten in Internetgeschäften einmal von der anderen Seite und beschreibt die Chancen, nicht nur die Gefahren, die im Geschäft mit den Daten im Netz liegen. Was, wenn die Nutzerdaten in der Weiterverarbeitung von den großen Internetgiganten gar nicht missbraucht, sondern auf intelligente Weise und zum Vorteil der Nutzer verwendet werden? Wenn freie, nicht vollständig durchregulierte digitale Märkte gar keine Bedrohung sein müssen, sondern Innovationen hervorbringen und uns vielmehr vor die Frage stellen, wie wir die Gewinne aus der Datenökonomie gerechter verteilen?

In seinem Essay über die digitale Seidenstraße berichtet *Winston Ma* von den enormen wirtschaftlichen Sprüngen, die China in den letzten Jahren mithilfe der Digitalisierung gemacht hat. Damit liefert er auch ein Modell für andere Länder, die momentan noch nicht vom Erfolg der Digitalisierung profitieren, die aber – wie das Vorbild China – mit zielgerichteten Programmen einige Entwicklungsstufen überspringen und sich an die Spitze der digitalen Entwicklung setzen könnten.

Stefan Klein fordert ein Umdenken der Politik, um den Fokus vom wirtschaftlichen Wachstum und materiellen Wohlstand als ultimativem Ziel hin zu Wohlbefinden, Selbstbestimmung und Teilhabe für uns alle zu verschieben. Dafür muss unsere Gesellschaft als ersten Schritt Kriterien für Glück und Wohlbefinden entwickeln und es statistisch erfass- und messbar machen – und anschließend als politisches Ziel verankern.

In *Der globale Nationalismus* führt *Tobias Werron* exemplarisch vor, dass der Nationalismus – entgegen aller Abgesänge – einfach nicht verschwinden will. Werrons Reaktion auf diesen Befund ist die einzig mögliche, die in die Zukunft weist: den Ist-Zustand beschreiben und analysieren, und dann, aufbauend auf der gegenwärtigen globalisierten Realität, ein Konzept entwerfen, wie wir den derzeitigen Nationalismus in eine Richtung lenken können, die ihn im Bewusstsein all seiner Gefahren in einer offenen Demokratie lebbar macht.

Allen sechs Essays gemeinsam ist die Angstfreiheit des Denkens. Keiner verschließt seine Augen vor der Zukunft, keiner kämpft um den Erhalt des Status quo oder stemmt sich gegen als notwendig erkannte Veränderungen. Möglich kann nur das werden, was bereits gedacht werden konnte. Wir brauchen Vordenker, wir brauchen Zukunftsentwürfe und Zukunftsvisionen, um die Wege, die zu beschreiten sind, überhaupt sichtbar werden zu lassen. Wo keine Vision ist, da kann auch kein Weg zu sehen sein. Und erst wenn wir wenigstens eine vage Vorstellung davon entwickelt haben, wie die Ökonomien der Zukunft überhaupt aussehen sollen, sind wir in der Lage, loszuziehen und sie Wirklichkeit werden zu lassen.

Die Vermessung des Glücks

Stefan Klein unternimmt in *Die Ökonomie des Glücks* den Versuch, unserer Gesellschaft neue Ziele zu geben. Die rein auf ökonomische Zwecke ausgelegte Politik ist an ihr Ende gekommen, so seine These, nur in einer Ökonomie des Glücks liegt ein Ausweg – in einer Politik, die sich an Wohlbefinden statt an Wohlstand ausrichtet, die danach strebt, die Bürger glücklicher, nicht nur wohlhabender zu machen.

»Unzufriedenheit ist der Sprengsatz unserer Zeit«, lautet der erste Satz seines Essays und trifft damit mitten ins Zentrum der drängendsten Probleme unserer Gegenwart. Die Unzufriedenheit nagt an uns, lässt uns keine Ruhe und lässt sich, wenn überhaupt, nur schwer mit Fakten beschwichtigen. Dabei geht es uns in Mitteleuropa gut wie nie zuvor. Unser Lebensstandard ist unvergleichlich hoch, die Gesundheitsversorgung war noch nie so gut wie heute und wir leben so lange in friedlichen, unkriegerischen Verhältnissen wie niemals vorher in der Geschichte der Menschheit. Es scheint wie eine Art selbstzerstörerische Tendenz, dass unsere westlichen Gesellschaften beginnen, Populisten, Extremisten, Demokratiefeinde in die Parlamente zu wählen und sich blenden lassen von den verführerischen apokalyptischen Beschwörungen von rechts.

Stefan Klein zeigt auf, dass der Glücksfaktor nur bedingt mit dem Wohlstandsfaktor verknüpft ist. Wachsender Wohlstand bringt nicht automatisch wachsende Zufriedenheit mit sich - im Gegenteil. Mit dem Wohlstand beginnen auch die Verteilungskämpfe, und wenn die Versprechen des Wirtschaftswachstums sich nicht in einer Verbesserung der eigenen Lage niederschlagen, führen sie eher zu wachsender Frustration, zu Depression und Unzufriedenheit.

Klein analysiert verschiedene Erklärungsmuster für die Misere der Welt. »Wer sich links verortet, führt den Zerfall der Gemeinschaft und die Niedergeschlagenheit der Einzelnen vor allem auf die wachsende Ungleichheit zurück. Demnach sind die weniger gebildeten und weniger gutverdienenden Bürger vom allgemeinen Fortschritt abgehängt worden und fühlen sich ausgegrenzt. Daraus erwüchsen einerseits Wut, andererseits Gefühle von Ohnmacht.« Die Begründung von der politisch entgegengesetzten Seite fällt anders aus: »Konservative dagegen beklagen generell zu viele Veränderungen in zu kurzer Zeit. Digitalisierung, Globalisierung, neue Rollen der Geschlechter, Einwanderung, und das alles binnen weniger Jahre, würden viele Menschen schlicht überfordern, auch ängstigen.« (Seite 8) Doch ideologisch gefärbte

Urteile greifen zu kurz und können nur eine Schicht des Problems fassen. Ein genauerer Blick zeigt, dass die Kausalzusammenhänge nie ganz aufgehen, dass die Unzufriedenheit und die Frustration nicht linear erklärt werden können. »Hoffnungslosigkeit ist der kleinste gemeinsame Nenner, auf den unsere zunehmend zerrissene Gesellschaft sich einigen kann. Wenn Industrielle, Bildungsbürger und entlassene Kohlearbeiter sich noch auf irgendetwas zu verständigen vermögen, dann darauf, dass wir die besten Zeiten hinter uns haben« (Seite 12f.), schreibt Klein. Trotz der positiven Wirtschaftsdaten glauben die Bürger, wirft man einen Blick in Umfragen und Statistiken, nicht mehr an eine positive Zukunft, im Gegenteil – Zukunft ist vielmehr mit Angst und Verunsicherung verbunden. Der Glaube an wirtschaftliches Wachstum ist verloren gegangen, bei den Befragten gibt es keine Hoffnung mehr darauf, »dass die Unternehmen in der Summe die Zustände zum besseren ändern«.

Der Zusammenhang von Geld und Glück ist ein vieldiskutierter, oft her- und ebenso oft infrage gestellt. Klein sagt: »Dass sich Wohlstand in Wohlbefinden übersetzt, klingt durchaus logisch. Wer mehr Geld in der Tasche hat, kann sich mehr Wünsche erfüllen. Er hat auch mehr Möglichkeiten, das Leben nach seinen Vorstellungen zu gestalten. Und bringt Geld schließlich, richtig eingesetzt, nicht persönliche Freiheit? [...] Wenn die Leute jedes Jahr mehr in der Tasche haben: Wer könnte dann noch den Fortschritt bestreiten? Und den Bürgern gefällt es, sich immer schnellere Autos, schönere Häuser, weitere Reisen zu leisten.« (Seite 15)

Und doch sieht er in diesem verengten Blick ein Defizit. Das liegt an den Faktoren, die außerhalb des mit Geld Messbaren liegen, aber ebenso viel zum Wohlbefinden beitragen können. Das Bruttoinlandsprodukt ist laut Klein »blind für alle Leistungen, die nicht in Geld zu messen sind. Wenn eine Person ihren gebrechlichen Schwiegervater pflegt, trägt sie nicht zum Wirtschaftswachstum bei. Sehr wohl aber steigert das Bruttoinlandsprodukt, wer sich beschwipst hinter das Steuer setzt und auf der Autobahn eine Massenkarambolage verursacht, bei der ein Dutzend Menschen verletzt wird und einige sterben. Die Profite der Schrottplätze und Neuwagenverkäufer, die Löhne der Ärzte und Totengräber gehen nämlich sehr wohl ins Kalkül der Statistiker ein.« (Seite 16f.)

Weiter unterscheidet Stefan Klein scharf zwischen Glück und Zufriedenheit und macht sich auf die Spur nach den Gründen und Ursachen für die Zufriedenheit. Nur in der Vermehrung der Zufriedenheit der Menschen, so Klein, liegt die Möglichkeit einer besseren Gesellschaft. Die Frage ist also, wie wir die Zufriedenheit allgemein steigern können.

»Sieben Jahrzehnte Wirtschaftsaufschwung seit dem Ende des Zweiten Weltkriegs haben uns an immer neue, immer raffiniertere Reize gewöhnt. Der Drang nach mehr ist uns ein Lebensinhalt geworden. Und die glitzernden Bilder der Werbung, die Selbstdarstellung der Mitmenschen, das Bombardement von höchst erfreulichen Statusupdates im Netz wirken wie Turbolader für den Antrieb ohne Ziel. Wer ständig vor Augen hat, wie glänzend es anderen geht, muss daran glauben, dass die eigene Lage nur unzulänglich sein kann.« (Seite 37) Sich zu vergleichen ist also einerseits ein Problem, wenn es sich nach oben richtet, zu den vermeintlich Bessergestellten und Besserverdienenden. Andererseits führt der Vergleich aber auch dazu, dass man sich besser fühlt, wenn man beispielsweise auf seine unmittelbare Umgebung blickt und sich darin als privilegiert empfindet. Klein bringt es auf die Formel: »Zufrieden ist darum nicht, wer auf großem Fuß lebt. Zufrieden ist, wer auf größerem Fuß lebt als die Menschen in seiner Umgebung.« (Seite 30)

In verschiedenen Schritten entwirft Stefan Klein die Ökonomie des Glücks. Was kann die Politik machen, welche Veränderungen sind notwendig? »Das oberste Ziel, an dem die Politik sich jetzt auszurichten hat, ist das messbare Wohlbefinden der Bürger. Dies ist die Verpflichtung, die die liberale Demokratie jetzt eingehen muss.« (Seite 39)

Um dieses Ziel auch für die Politik und vor allem auch die Unternehmen attraktiv zu machen, lässt sich Stefan Klein auf deren Argumentation ein und findet eine Erzählung, die alle Bereiche im Blick behält. Er expliziert die Vorteile einer Ausrichtung auf das Wohlbefinden der Menschen am Beispiel eines der am stärksten dämonisierten Großkonzerne unserer Zeit. In jeder Umfrage landet Google auf einem der Spitzenplätze, wenn nach der Zufriedenheit der Mitarbeiter mit ihrem Arbeitsplatz und ihren Arbeitsumständen gefragt wird. Google widmet sich dieser Optimierung bis ins Detail: ob die Wartezeiten an der Schlange der Cafeteria für einen kostenlosen Cappuccino, reduziert werden – und zwar genau so weit, dass der Mitarbeiter vom Warten nicht genervt ist und trotzdem noch ausreichend Zeit findet, mit dem Kollegen kurz ins Gespräch zu kommen –, ob bestimmte Arbeitszeiten flexibilisiert werden und den Mitarbeitern ausreichend Zeit zur Regeneration gelassen wird oder firmeneigene Kindergärten und Fitnessstudios angeboten werden. In der Summe scheint sich das auszuzahlen. Denn es bleibt »bei allen berechtigten Vorbehalten mehr als bemerkenswert, mit welcher Entschlossenheit eine Firma die Zufriedenheit ihrer Mitarbeiter in den Fokus zu stellen vermag und mit wie viel Systematik Google diese Priorität verfolgt. [...] Google hat gezeigt, wie eine Ökonomie des Glücks ökonomisch erfolgreich sein kann.« (Seite 49)

Wenn Wissen und Kreativität relevante Erfolgsfaktoren für ein Unternehmen sind, dann müssen sich diese Unternehmen, so Kleins Erkenntnis, »an den Prinzipien der Ökonomie des Glücks ausrichten, um zu bestehen« (Seite 45).

Vier Achsen macht Klein als Grundlage von Wohlbefinden aus (Seite 59ff.):

1. Selbstbestimmung: »Wenn Menschen sich daran beteiligen, die Geschicke ihrer Gemeinschaft zu lenken, identifizieren sie sich stärker mit den Institutionen, sind zufriedener, fällen bessere Entschlüsse. Wer sich gehört weiß, kann kein Wutbürger mehr sein.«

2. Lebensoptionen: »Offenbar spüren die Menschen, auch wenn sie selbst keiner Minderheit angehören, dass Toleranz die Lebensmöglichkeiten aller und damit auch die eigenen Optionen vermehrt. Wer also behauptet, eine Gesellschaft ohne Vielfalt würde die Menschen glücklicher machen, liegt falsch.«

3. Bildungsmöglichkeiten: »Die Ökonomie des Glücks verficht den altmodischen Gedanken, dass die Entfaltung menschlicher Möglichkeiten das Bildungsziel sein muss. Schüler und Studenten brauchen den Raum, um ihre

sozialen und emotionalen Fähigkeiten auszuprägen, aber auch, um Handwerk und Philosophie, Literatur und Kunst kennenzulernen.«

4. Werte und Gemeinschaft: »Wenn wir in besserer Stimmung sind, liegt uns das Wohl anderer stärker am Herzen, wie die soziale Neurowissenschaft nachweist. Eine Gesellschaft, die Zufriedenheit will und erreicht, wird zugleich eine weniger verschwenderische und großzügigere sein. Das eigene Glück ohne das Glück von anderen kann es schließlich nicht geben.«

»Das Streben nach Glück ist nicht das Ende der Politik, sondern ihr Gegenstand«, resümiert Klein in seiner konstruktiven, hoffnungsvollen Vision von einer anderen Ökonomie, einer Ökonomie des Glücks.

Dem Geld eine weibliche Konnotation geben

»Eine Frau zu sein, ist ein riskantes Geschäft«, konstatiert *Mara Catherine Harvey* im abschließenden Kapitel von *Women and Risk*. In ihrem Essay nimmt Harvey das Verhältnis von Frauen zu Geld und vor allem zu Investitionen und Geldanlagen in den Blick und stellt verschiedene Möglichkeiten vor, dieses Verhältnis positiv und zukunftszugewandt zu gestalten. Ins Zentrum stellt sie dabei den Begriff des Risikos.

»Das, was heute Risiko genannt wird, deckt nur die gemeinhin bekannten männlichen Aspekte wie körperliche und finanzielle Risiken ab. Außen vor bleibt eine ganze Bandbreite an sozialen und ethischen Aspekten, zum Beispiel wenn man sich für richtige Ziele einsetzt, obwohl es dem eigenen Ruf schaden kann, sich weigert, seine Ansprüche herunterzuschrauben, oder berufliche Erfüllung über den Profit stellt.« (Seite 7) Harvey kritisiert unseren männlich geprägten Risikobegriff. Dieser würde dem tatsächlichen Risiko, dem wir und vor allem auch Frauen in unserem Alltag ausgesetzt sind, nicht gerecht. Zudem sollte das Risiko in Finanzfragen nicht mit Draufgängertum oder dergleichen verbunden werden, sondern viel stärker mit Fragen der Perspektive, der Langfristigkeit von Unternehmungen. Ein Risiko einzugehen bei der Finanzplanung, so arbeitet Harvey heraus, ist notwendig, um Wachstum und auf längere Sicht auch Erfolge einzufahren. Bewahrendes, sicherndes Verhalten führt dazu, dass man sein Geld kurzfristig nicht verliert, längerfristig jedoch hilft es nur wenig weiter und schöpft auch bei weitem nicht alle Möglichkeiten aus.

Die Langfristigkeit - konkret: die Altersvorsorge - ist ein sehr wichtiger Faktor: »Eine Frau lebt mit hoher Wahrscheinlichkeit länger als ein Mann. Das in ihrem Erwerbsleben Zurückgelegte muss ihr länger reichen, so dass ihre Langlebigkeit ihren Lebensstandard gefährden könnte.« (Seite 31) Diese Diskrepanz muss mit riskanterem Einsatz der verfügbaren Mittel kompensiert werden. Denn schon bevor es an die Altersabsicherung geht, sind Frauen mit Benachteiligungen oder zumindest Erschwernissen konfrontiert. »Lohnlücke, Vermögenslücke und Rentenlücke: Diese drei Gendergaps beeinträchtigen die Vermögensbildung von Frauen erheblich«, schreibt Harvey. »Und im Verbund stellen sie ein erhebliches Risiko dar, weil sie den Lebensstandard im Alter gewaltig schmälern können. Obwohl diese Phänomene keineswegs neu sind, ist bislang wenig geschehen, um die Größenordnung dieser Lücken über eine Lebensspanne hinweg zu beziffern.« (Seite 35)

Damit richtet sich Harvey zum einen an die Politik, die sich dieser Ungleichheit der Geschlechter und der Verschiedenheit der biografischen Umstände nicht bewusst zu sein scheint. In erster Linie fordert sie eine statistische Erfassung der Ungleichheit, die umfassend bisher versäumt wurde und die sie als Grundlage für eine neu ausgerichtete Politik ansieht, die in der Lage wäre, etwas Wirksames gegen diese Ungleichheit zu unternehmen. Doch bleibt Harvey, und das ist eine der Stärken ihres Textes, nicht bei dieser Kritik stehen. Sie liefert eine Vielzahl an durchaus praktischen Maßnahmen, die Frauen selbst unternehmen sollten, um diesen Missständen entgegenzutreten. Damit möchte sie die Frauen dazu ermächtigen, sich um ihre Geldgeschäfte zu kümmern, die Berührungsängste zu überwinden. Gleichzeitig verdeutlicht sie aber auch der Seite der Finanzwirtschaft und der -beratung, welche Vorteile ihnen entstehen, wenn sie Frauen als Ansprechpartner und deren spezifische Bedürfnisse stärker in den Blick nehmen. Dort ist noch eine Menge an unausgeschöpftem Potenzial für den Finanzsektor zu finden.

»Wenn wir die heute anhaltende wirtschaftliche Ungleichheit in einem vernünftigen Zeitraum überwinden wollen, müssen wir bei einer ihrer Hauptursachen ansetzen, die unserem direkten Einfluss unterliegt: beim erschwerten Zugang für Frauen zu Kapital. Dies gilt sowohl für Finanzmittel für geschäftliche Zwecke als auch für den Zugang zu Sachverstand, um eigenes Vermögen aufzubauen. Zwei entscheidende Hindernisse müssen aus dem Weg geräumt werden: die Schieflage bei Botschaften über Geld zugunsten der Männer und die verzerrte Wahrnehmung, was Risikobereitschaft angeht.« (Seite 13)

Schließlich fordert Harvey generell einen unbefangeneren Umgang mit Geld und eine weniger verschämte Behandlung der Finanzfragen. »Sich um sein Geld zu kümmern, ist so wichtig wie die Sorge um die eigene Gesundheit, das eigene Berufsleben oder die Familie und Angehörige« (Seite 54), und sollte entsprechend zum festen Bestandteil der Sorge um sich selbst werden. Die besonderen Umstände für Frauen müssen offen angesprochen werden. »Mädchen müssen mit neuen Botschaften über Geld aufwachsen. Ihre Finanzkompetenz muss vom frühesten Alter an und das ganze Leben hindurch gefördert und ihr finanzielles Selbstvertrauen gestärkt werden. Finanzielle Ratschläge für Frauen, die der längeren Lebenserwartung standhalten, müssen zur neuen Regel werden.« (Seite 86)

Harvey kritisiert auch die immer fortdauernden ungebrochenen Stereotype, die vor allem medial vermittelt werden. Sie zitiert eine Studie der Starling Bank zu diesem Thema, die erschreckende Ergebnisse liefert. So wird in Frauenzeitschriften den Leserinnen nahegelegt, zu sparen und sich in ihrer Verschwendungssucht einzuschränken. In den Männermagazinen dagegen wird das Geldverdienen als männliche Sache gefeiert, die den Mann noch männlicher macht.

Auch gesamtwirtschaftlich ist es notwendig, dass wir uns von diesen alten Bildern lösen. Frauen verfügen über eine erhebliche Menge an Geldvermögen, und dieses zu aktivieren und in Investitionen nutzbar zu machen, führt zu einem Gewinn für die gesamte Gesellschaft. »In der Finanzwelt braucht es einen neuen Dialog, der den Zweck von Wohlstand und die Herausforderungen der Langlebigkeit ins Zentrum rückt« (Seite 86), fordert Mara Catherine Harvey, ihr Essay bietet eine Grundlage und eine Vielzahl an Anregungen für eine weiterführende Diskussion darüber, die künftig und schon seit Längerem unbedingt notwendig ist.

Wegbeschreibung mit unklarem Ziel

Milosz Matuschek und *Philipp Mattheis* nehmen in *Kryptopia* uns Leser mit auf eine Reise »in ein unbekanntes Land« der Bitcoins und der Blockchains. »Dieses Buch ist eine Wegbeschreibung mit unklarem Ziel, basierend auf einer Karte mit unklaren Koordinaten. Eine durchaus auch sehr persönliche Reportage über ein Land, in dem noch niemand war.« (Seite 8) Eine Fülle an anschaulichen Beispielen und überraschend erhellenden und manchmal sehr weit ausgreifenden Analogien hilft nicht nur beim Verständnis des nicht ganz einfachen Systems der Krypto-Währungen, sondern zeigt auch, wie viele Bereiche im Thema Digitalwährung zusammenkommen. »In Kryptopia finden zahlreiche hoch spezialisierte Themen und Kompetenzen zueinander«, schreiben die Autoren, um sie gleich aufzuzählen:

»Kryptografie, Computerwissenschaften, Makroökonomie, Spieltheorie, Verhaltenspsychologie.« (Seite 8)

Jedes Kapitel beginnt mit einem Erfahrungsbericht aus der Welt eines Bitcoin-Enthusiasten, geschrieben von Philipp Mattheis selbst. Er schildert seinen Einstieg in die Welt der Krypto-Währungen und verhehlt auch sein wechselhaftes Verhältnis dazu nicht, das mit den Kursschwankungen des Bitcoins Aufschwünge und Abstürze bietet. Die Verschränkung der beiden Ebenen – dem Erfahrungsbericht aus der Praxis mit der theoretischen Einführung in die Welt des digitalen Geldes und seiner Entstehung – und das Einbringen der persönlichen Erfahrungen der Autoren ermöglichen ein Verständnis, das über eine Einführung in die technischen Abläufe und Funktionen hinausgeht. Der ansteckende Rausch des Investierens und der enormen Kurssteigerungen überträgt sich auf den Leser und macht auch die Verführungskraft begreiflich.

»Unser Geld ist geprägte Unfreiheit. Geld entsteht durch Schulden. Jeder Euro, Dollar oder Yen ist ein Schuldschein, herausgegeben von einer Zentralbank, der gegen Zinsen zurückzugeben ist«, schreiben Matuschek und Mattheis. »Das Geldsystem ist ein Monopolyspiel, und wir machen mit, in der Hoffnung, unsere Position in diesem Spiel zu verbessern.« (Seite 24) Nicht erst das Spekulieren mit Bitcoins macht uns zu Akteuren im Finanzgeschäft, und nicht erst das Betreten des Unbekannten, des unbekannten Landes Kryptopia lässt den Grund, auf dem wir uns bewegen, unberechenbar werden.

In der Technologie der Krypto-Währungen sehen Matuschek und Mattheis ein enormes Potenzial. Dass es momentan noch eine Sache ist, mit der sich ein recht kleiner Teil der Menschen beschäftigt (und daran verdient) und auch noch meist ein sehr speziell ausgebildeter, ist in ihren Augen gar kein Gegenargument. Auch das Internet, so die Autoren, habe etwa fünfzig Jahre gebraucht, um sich durchzusetzen und heute nicht mehr weggedacht werden zu können. Ein Leben vor dem Internet ist mittlerweile fast nicht mehr vorstellbar.

Matuschek und Mattheis skizzieren dieses Potenzial, das in den neuen Währungen steckt. In verschiedenen Bereichen schafft es neue Rahmenbedingungen, die ganz deutliche Verbesserungen zum Status quo bedeuten würden. Beispielsweise im Bereich der Wohltätigkeit: »Statt große und im Verwaltungsaufwand teure Hilfsorganisationen zu alimentieren, die mit zweifelhaften Gatekeepern verhandeln müssen, könnte mittels dezentraler Strukturen die Hilfe dort ankommen, wo sie wirklich nötig ist – und zudem noch ihre Effizienz transparent nachvollzogen werden.« (Seite 33) Der Umweg über fremde, unbekannte Institutionen fällt weg, die Institutionen werden überhaupt überflüssig, weil sie für keinen Schritt in der Blockchain, also der Kette der einzelnen Schritte der Transaktion, benötigt werden.

»Die Welt wächst näher zusammen«, resümieren die Autoren eine Auswirkung des Systems der Digitalwährungen. Die direkten Transaktionswege, vorbei an den bestehenden Institutionen, oder besser: unabhängig von Institutionen, schaffen eine stärkere Verbundenheit mit den Projekten, in die investiert wird, und den Menschen, denen diese Investitionen zufließen. »In Zukunft könnte jemand in Singapur jemandem in Deutschland einen Privatkredit geben und sich dafür zehn Prozent des Eigentums an dessen tokenisiertem Haus am See zur Sicherheit übertragen lassen. Der Austausch wird in Zukunft direkter und persönlicher verlaufen.« (Seite 36)

Das Zusammenwachsen scheint keine Grenzen zu kennen, nicht nur Kreditinstitute werden überflüssig, sogar Staaten sind in Kryptopia nicht mehr notwendig. Doch wie damit umgehen, dass die digitalen Währungen, in denen, wie der Essay aufzeigt, so viel auch gesellschaftsveränderndes Potenzial steckt, aufgrund von Spekulationen in die Höhe und auch wieder in den Keller getrieben werden können? »Es ist ein Zeichen der Krise, wenn das alte System noch nicht kollabiert, das neue jedoch noch nicht vollständig ausgebildet ist« (Seite 26), schreiben Matuschek und Mattheis, und umreißen die Möglichkeiten und das Potenzial, das im System Bitcoin steckt. Sie beschreiben die Anfänge und die Mythen und Legenden, die sich um die Ursprünge ranken, stellen die Protagonisten des verzweigten, dezentralen Systems der Digitalwährung vor (und dabei auch eigene Projekte wie die Gründung des eigenen Blockchain Start-ups »Eternitas« mit dem Ziel, die Gestaltung von Testamenten zu vereinfachen und unabhängig von Treuhändern und Notaren zu machen) und legen die Spekulationen, die Grauzonen, die Unklarheiten offen. »Bitcoin wird, seit es existiert, von allen Seiten bekämpft, egal ob von Hackern, Regulatoren oder Regierungen. Und doch wird es immer stärker, erweist sich nicht nur als ›robust‹, sondern als ›antifragil‹. Es wächst durch Erschütterungen.« (Seite 53)

Ein interessanter Aspekt, der sich bei genauerer Betrachtung des Systems und seiner Geschichte zeigt, ist ein uneindeutiges Flirren, eine Art Mythos um das Krypto-Geld, der genährt wird durch die undurchsichtigen Protagonisten, die unklaren und immer auch offenen Strukturen des Netzwerks. Es scheint wenig Interesse an eindeutiger Klärung zu bestehen: »Das Spiel mit dem Magischen mag ein nerviger Spleen der Community sein, zeigt aber auch die Anknüpfung an eine geistesgeschichtliche Strömung: Die Ökonomie auf Kryptopia stellt die Kraft der Mathematik und Kryptografie über die Macht und die Strukturen von Autoritäten, wie in der Renaissance« (Seite 63), deuten Matuschek und Mattheis diese Unklarheiten. »Nur geht es heute nicht mehr um die Frage, ob die Erde um die Sonne kreist, sondern ob in Zukunft die Welt noch um den Dollar oder nicht doch schon (zum Beispiel) um den Bitcoin kreist.« Es wird also bewusst offengelassen, »ob wir gerade Genies entdeckt haben oder Betrügern auf den Leim gehen«.

In einem Feld, in dem noch vieles offen ist, weil es noch gar nicht ausreichend in der Praxis umgesetzt und somit beobachtet werden konnte, bestehen naturgemäß noch einige offene Fragen. Matuschek und Mattheis verleugnen das nicht, sondern benennen es deutlich. Beispielsweise den Stromverbrauch von digitalen Währungen: »Je mehr Leute Bitcoin nutzen, desto mehr Transaktionen müssen bestätigt werden. Das erfordert mehr Rechenleistung. Was früher noch ein PC im eigenen Arbeitszimmer erledigen konnte, schaffen heute nur noch große Mining-Firmen, die sich in Ländern befinden, in denen Strom entweder billig, weil subventioniert ist (China), oder in denen niedrige Temperaturen für eine natürliche Kühlung sorgen (Island).« (Seite 79)

Dennoch sehen die beiden Autoren in Blockchain »revolutionäres Potenzial«, vor allem in seiner dezentralen Organisation, und sind davon überzeugt, dass Blockchain ein Produkt der Zukunft ist. Es ist erkenntnisfördernd und anregend, sich auf das Gedankenspiel einzulassen, in dem von einem Gelingen des Wünschbaren ausgegangen wird, in dem die Möglichkeit berücksichtigt wird, dass die Idee sich durchsetzen wird und sogar Gutes bewirkt.

Und schließlich kann man nur zustimmen, wenn Matuschek und Mattheis konstatieren: »Wer schlauer von einer Reise zurückkehrt, als er aufgebrochen ist, der hat von Kryptopia profitiert. Egal wohin die Reise am Ende führt.« (Seite 82)

Liberaler Nationalismus mit tragischem Bewusstsein

Tobias Werron bietet in *Der globale Nationalismus* eine systematische Untersuchung der modernen, zeitgenössischen Ausprägungen von Nationalismus. Ausgehend von der Frage, warum der Nationalismus in allen seinen Spielarten, trotz aller Abgesänge, einfach nicht verschwinden will, nimmt er ihn genauer in Augenschein und differenziert seine Erscheinungsformen, erklärt seine Funktionsweisen und Bedeutungen – und rät vor allen Dingen zu einem nüchternen, präzisen Umgang mit seinen modernen Formen.

Bisher, so Werron, haben wir uns im Umgang mit dem Nationalismus und im Versuch, ihn zu verstehen, meist in gewohnten Bahnen bewegt und mit letztlich nicht ausreichenden Mitteln hantiert. Wir haben uns zu sehr leiten lassen von den Stereotypen und unseren – durchaus auch aus der Geschichte begründeten – Vorbehalten. Dabei haben sich zwei Fehleinschätzungen herausgebildet:

Erstens neigen wir laut Werron dazu, »den Nationalismus als politische Ideologie aufzufassen und mit seinen auffälligsten Erscheinungsformen gleichzusetzen« und uns zudem »Nationalismus und Globalisierung als Gegensätze vorzustellen und daher zu unterstellen, dass mehr Globalisierung weniger Nationalismus und mehr Nationalismus weniger Globalisierung bedeutet«. (Seite 7) Tobias Werron dreht nun diese beiden Fehleinschätzungen um, um sie als Grundlage für seine Untersuchung fruchtbar zu machen. Erstens ist der Nationalismus nicht nur eine auffällige, sondern ganz im Gegenteil ebenso auch eine ganz unauffällige und leise im Verborgenen wirksame Ideologie. Im soziologischen Sinne ist die Institution eine Erwartung, die zur Selbstverständlichkeit geworden ist und die man auch für selbstverständlich für alle anderen hält. Die Opposition, die vermeintlich zwischen Nationalismus und Globalisierung gesehen wird, rührt von einem falschverstandenen, eingeschränkten Begriff von Globalisierung, dessen Fokus zu sehr auf der Ökonomie liegt.

Werron entwirft den Nationalismus, dessen Ursprung er »im mittleren 19. Jahrhundert« ansetzt, als Diskurs zur Konstruktion von Kollektividentitäten. Die Gemeinschaft, die sich unter dem Begriff des Nationalismus bildet, ist eine künstlich hergestellte, keine, die sich aus Begegnung oder Gemeinsamkeit bildet. Überzeugend veranschaulicht Werron, wie sich diese Gemeinschaft und die künstliche Vorstellung von Nation über den gemeinsamen Medienkonsum bilden: »Wer dieselben Medien liest, hört und sieht, kann sich mit anderen Nutzern dieser Medien selbstverständlich als Teil einer Nation definieren, auch wenn er nur den wenigsten jemals persönlich begegnen wird, und auch unabhängig davon, ob die im Mediendiskurs beschworenen geteilten Merkmale und Interessen aller Mitglieder der Nation tatsächlich vorhanden sind.« (Seite 31)

Nicht nur die Gemeinschaft der Nation ist fiktiv, auch die Mythen und Erzählungen sind es, die sie stärken, begründen und fortschreiben. »Nationen brauchen keine tatsächliche, sondern nur eine plausible, gut erfundene Geschichte, die es ihnen erlaubt, sich als Einheiten mit Geschichte *darzustellen*.« (Seite 20)

Tobias Werron arbeitet verschiedene Kriterien heraus, die es ihm ermöglichen, die Hauptströmungen des modernen Nationalismus zu beschreiben. Diese vier Formen teilt er in bekannte und viel erforschte ein – das sind der »Identitätsnationalismus« und der »Konfliktnationalismus« –, sowie in unterschwelligere, weniger erforschte Formen – den »institutionalisierten Nationalismus« und den »Knappheitsnationalismus«. (Seite 26ff.)

Letzterer ist eine besonders interessante Ausprägung des Nationalismus, die sich auch in den gegenwärtigen Diskursen der deutschen Öffentlichkeit mal mehr, mal weniger versteckt in den rechten wie linken Diskursen wiederfindet. Der Knappheitsnationalismus nämlich stellt sich die Welt so vor, dass sie »aus knappen Gütern besteht, so dass jede Nation ihren Anteil an diesen Gütern nur auf Kosten anderer Nationen vereinnahmen kann. Wer sich die Welt als einen solchen Ort vorstellt – und es gibt durchaus naheliegende Gründe dies zu tun –, der wird dazu neigen, Situationen, in denen andere Kooperationschancen und Potenzial für gemeinsames Wachstum sehen, als Nullsummen- und Konkurrenzkonstellationen wahrzunehmen. Knappheitsannahmen liegen auch häufig der Definition ›nationaler Interessen‹ zugrunde, die mit den angenommenen nationalen Interessen anderer kollidieren.« (Seite 33)

Die Argumentationsmuster, die dabei angesichts der Angst vor Knappheit in handfesten Projektionen zur Anwendung kommen, sind die altbekannten: »Arbeitsplätze sind knapp. Je mehr Immigranten ins Land kommen, desto knapper wird die Zahl der Arbeitsplätze werden, desto intensiver wird die Konkurrenz am Arbeitsmarkt sein, und desto niedriger werden letztlich die Löhne für alle sein. Oder: Geld ist knapp. Je mehr Geld nach Griechenland fließt, desto knapper wird es in Deutschland sein.« (Seite 35)

Da sie auf Projektionen beruhen, können die Argumentationen leicht auch einfach umgekehrt werden und sich in Vorstellungen von Überfluss und Wachstum äußern: »Arbeitsplätze sind durch Wachstum vermehrbar. Je mehr Immigranten, desto mehr junge Arbeitskräfte, desto größer das Wachstum und desto höher letztlich der Lohn für alle. Oder: Je mehr Geld griechischen Konsumenten zur Verfügung steht, desto größer werden die Absatzchancen für deutsche Unternehmen und desto mehr Arbeitsplätze wird es letztlich in Deutschland geben.« (Seite 35f.)

Es sind Erzählungen, die erfunden oder konstruiert werden und die den ideologischen Gehalt nationalistischer Vorstellungen anfüllen. Die zur Beliebigkeit getriebene Austauschbarkeit der Argumentation lässt sie geradezu grotesk wirken, aber auch die Abgrenzungsstrategien, die bemüht werden, um die Nation sichtbar werden zu lassen, können groteske Anmutung haben. Eine Nation muss sich auf die Behauptung stützen können, dass sie einzigartig sei, da sie sonst jederzeit auch mit anderen, vergleichbaren Nationen ausgetauscht oder verschmolzen werden kann. »Es gibt nur eine Kultur wie die deutsche, französische, argentinische, haitianische, australische, sagen deutsche, französische, argentinische, haitianische, australische Nationalisten. Vergleicht man sie alle miteinander, wird jedoch rasch deutlich, dass sie sich eines begrenzten Repertoires an typischen Erzählungen bedienen, insbesondere wiederkehrender Bezüge auf Territorien, kulturelle Eigenschaften, religiöse Motive und Elemente nationaler Symbolik.« (Seite 28)

Eine weitere negative nationalistische Ausprägung, die Werron beschreibt, ist der »Wir sind schon hier«-Nationalismus. »Zur Nation gehört, wer schon hier ist, ganz egal wie er oder sie hergekommen war.« Die Frage nach der Zugehörigkeit zu dieser derart konstruierten Nation wird also zur Kombination aus einer räumlichen mit einer zeitlichen Identitätsfrage. Er ist momentweise also inklusiv. Wer hier ist, gehört hier her. Auf längere Strecke jedoch ist er hoch exklusiv: Wer nicht hier ist, gehört nicht hier her, soll also auch draußen bleiben und nicht dazukommen. »Das ist ein perfektes Argument zur Abwehr von Migration, aber auch ein perfekter Deckmantel für alle Varianten des Rassismus und der Fremdenfeindlichkeit.« (Seite 65)

Wie soll man nun mit diesen verzerrten Ausprägungen des modernen Nationalismus umgehen? Wie eine Haltung entwickeln, die stark genug ist, dagegenzuhalten?

»Statt uns von einem ökonomisch reduzierten Globalisierungsverständnis in die Irre führen zu lassen und dem Nationalismus immer wieder aufs Neue sein baldiges Ende vorherzusagen, sollten wir daher besser versuchen, auf kluge Weise mit ihm leben zu lernen« (Seite 71), lautet die Forderung oder die Ermutigung, auf die Werrons Argumentation hinausläuft. Dies, so seine Einschätzung, wird auf einen »liberalen Nationalismus mit tragischem Bewusstsein« hinauslaufen. (Seite 73) Liberal im Sinne, dass er sich von Homogenitätsgedanken, ethnisch wie kulturell, verabschiedet hat, tragisch in der Hinsicht, weil er nicht verleugnet, dass das Argument der Konkurrenz aufgrund von Knappheit ein weiterhin wirksames, wenn auch nicht wünschenswertes ist, das sich durch Gegenmaßnahmen wie internationale Kooperationen, Handelsabkommen oder Wachstumsversprechen nicht entkräften lässt. Diese Formel ist keine Abwehr, kein Abgesang, sondern ein Bemühen darum, die Realität des Nationalismus zu akzeptieren und auf möglichst besonnene Weise im Sinne einer liberalen Demokratie in die Zukunft zu führen.

Sprung ins digitale Zeitalter

Als im August 2013 die chinesische Regierung zur Förderung der digitalen Wirtschaft und der Vierten Industriellen Revolution eine Initiative startete und einen Plan zur offiziellen Förderung des »Informationskonsums« verabschiedete, war der Startschuss für eine gigantische gesellschaftliche und wirtschaftliche Umwälzung gegeben. Der 2017 in Kraft gesetzte »Plan zur Förderung der Entwicklung Künstlicher Intelligenz der nächsten Generation«, eines der ehrgeizigsten Vorhaben weltweit in Bezug auf KI, ist der vorläufige Höhepunkt der Bestrebungen Chinas, die Führung im digitalen Sektor zu übernehmen und sich von westlichen digitalen Technologien und Unternehmen unabhängig zu machen.

»Die zügige Digitalisierung Chinas soll das Land befähigen, in der globalen Wertschöpfungskette weiter nach oben zu klettern und sich von einer bedeutenden Industriemacht in einen globalen Innovationsführer im Bereich digitaler Technologien zu verwandeln. Chinas neue Wachstumsgeschichte kann im Übrigen für andere Schwellenländer als inspirierendes Exempel dienen.« (Seite 10)

Winston Ma gibt in *Die digitale Seidenstraße: Chinas neue Wachstumsstory* eine Innensicht der politischen und ökonomischen Entwicklungen in China in Sachen Digitalisierung und liefert ein Erklärungsmodell für das ungeheure, scheinbar unaufhaltsame Wachstum der chinesischen Wirtschaft. Die Sprünge in die Zukunft, die Chinas Gesellschaft unternimmt, sind dabei so groß, dass manche Schritte der digitalen Evolution einfach ausgelassen werden. Ma liefert Beispiele: »Mobiles Bezahlen ist in China sehr viel weiter verbreitet als in Industrieländern wie den USA oder Europa. 2017 wurden in China mehr als zehnmal so viele mobile Zahlungstransaktionen durchgeführt wie in den USA. Viele Chinesen, die nie in ihrem Leben Kreditkarten benutzt haben, nutzen heute das Internet, um ihre Überweisungen, Ersparnisse und Kapitalanlagen zu verwalten, ganz so, wie Menschen in vielen Regionen Chinas die Festnetztelefonie übersprangen und gleich ein Smartphone erwarben, um auf diese Weise erstmals Zugang zum Internet zu erhalten. Anders gesagt: Da es kein entwickeltes Kreditkartensystem gibt, ist das mobile Bezahlen die ›erste‹ und ›einzige‹ bargeldlose Zahlungserfahrung für viele Nutzer.« (Seite 13)

Es ist ein Sprung, der nicht beim Auf- und Einholen bleibt, sondern sich gleich an die Spitze der Entwicklung setzt. »Mit dem Wachstum des Online-Handels sind Bauern zu Online-Verkäufern geworden, und viele Bauerndörfer wurden zu

Zentren des E-Commerce, mit allem, was dazugehört: Lagerhallen, Logistikunternehmen, Werbeagenturen, Verpackungsfirmen und eine Vielzahl von Dienstleistern.« (Seite 16)

Die Fortschritte sind von einem gigantischen Ankurbelungsprogramm für Konsum getrieben. Nicht nur werden Bauern zu Online-Händlern und nahezu jeder Chinese zu einem mit dem Internet verbundenen Käufer und User, die Konsumenten werden auch verstärkt in die Weiterentwicklung von Prozessen und Produkten eingebunden. Zum einen gibt es große Initiativen wie den Singles' Day, den Tag für Unverheiratete am 11. November, der sich zu einem einzigen Onlineshoppingrausch entwickelt hat: »Im Jahr 2017 wurden in den ersten drei Minuten des Singles' Day Waren im Wert von 1,5 Milliarden Dollar im Internet bestellt. Das gesamte Handelsvolumen an diesem Tag betrug über 25 Milliarden Dollar.« (Seite 11) Zum anderen prägt sich auch die sogenannte Fan-Ökonomie immer weiter aus, in der die Fans Teil der Produktion werden und mit ihrer Rückmeldung unmittelbaren Einfluss auf die Weiterentwicklung von Produkten, aber auch von kulturellen Erzeugnissen wie Büchern und Filmen gewinnen.

Eine besonders weitgehende Ausprägung beschreibt Winston Ma: »Um jungen Zuschauern mehr Möglichkeiten zu geben, ihre Meinungen zu äußern, haben ausgewählte Kinos in China mit dem ›Bullet Screen‹ experimentiert – ein umstrittenes Modell, das Zuschauer in die Lage versetzt, über SMS, die an die Leinwand projiziert werden, den Film zu kommentieren, während dieser läuft.« (Seite 37)

Diesem Bullet Screen werden gute Chancen auf Fortbestand eingeräumt, weil der Wunsch nach veröffentlichter

Meinungsäußerung bei den Zuschauern so stark zu sein scheint, dass er sogar jegliche Gefahren ausblendet, die durch die freimütige Bereitstellung persönlicher Daten und die damit drohende Überwachbarkeit entstehen könnten.

Über das Erfolgsmodell Fan-Ökonomie schreibt Winston Ma: »Je größer die Zahl von Content-Entwicklern, umso vielfältiger ist das Angebot an Inhalten und umso aktiver und nachhaltiger sind die Plattformen. So kann ein erfolgreiches Content-Ökosystem nur so leistungsfähig sein wie sein mittlerer Kern, der sowohl aus begeisterten Fans als auch aus aktiven Content-Gestaltern selbst besteht.« (Seite 53)

Winston Ma stellt die Protagonisten des digitalen Wandels vor. Die letzten Jahre wurden von den drei großen Internet-Unternehmen Baidu (der chinesischen Variante von Google, einer Internetsuchmaschine), Alibaba (das chinesische Pendant zu Amazon) und Tecent (ein Online-Messaging-Dienst) dominiert. Mittlerweile lösen jedoch drei neue Spieler diese großen Alten ab: Toutiao (ein KI-basiertes Medienunternehmen), Meituan-Dianping (Chinas größte All-in-One-Plattform) und Didi (der größte Fahrdienstanbieter). Die beiden Letztgenannten basieren weitgehend auf Vorbildern aus dem Silicon Valley, haben in ihren spezifischen Geschäftsmodellen aber eine deutlich chinesische Handschrift. Toutaio dagegen ist eine chinesische Erfindung mit chinesischer Ausrichtung und chinesischen Dienstleistungen.

Neben der Fan-Ökonomie ist als zweite die Sharing Economy einer der zukunftsträchtigsten Wirtschaftszweige. Ma schreibt: »Viele Industrien in China werden sich bald, wie die Autoindustrie, im Gefolge von massiven Energieversorgungsengpässen, Verkehrsproblemen und Umweltzerstörung in einem Dilemma befinden. Außerdem ist das erstaunliche Wachstum der Sharing Economy, die Zugang stärker gewichtet als Besitz, auch ein wesentliches Element der digitalen Transformation Chinas. Viele chinesische Innovationen wie etwa das Fahrradverleih-Modell wurden auch von den USA und anderen Ländern übernommen.« (Seite 57)

Die Liste der Objekte, die in China geteilt werden und die Gegenstand von Sharing-Start-ups sind, liest sich kurios, scheint aber auf den zweiten Blick bereits einleuchtend. Unter den vermieteten und geteilten Gegenständen finden sich: Sexpuppen, Schlafmöglichkeiten, Spielzeug, Sportartikel, aber auch Koffer, die in Zeiten der Nichtbenutzung gelagert werden müssen und nur Platz wegnehmen würden – weshalb sie in dieser Zeit einfach verliehen werden können. »All diese neuen Start-ups verfolgen das gleiche Ziel: Sie wollen mithilfe digitaler Technologien die ›Annehmlichkeitslücke‹ zwischen gemeinschaftlicher Nutzung und Eigentum überbrücken, so dass Menschen Dinge, die sie früher kaufen mussten, bei Bedarf einfach nur nutzen können. Das ist eine schnellere und effizientere Möglichkeit, um Menschen eine höhere Lebensqualität zu ermöglichen, vor allem, wenn man bedenkt, dass das Durchschnittseinkommen in China noch immer sehr niedrig ist und Verbraucher in vielerlei Hinsicht sehr preisbewusst sind. Die Sharing Economy schafft ein inklusiveres Modell der Urbanisierung und des Wirtschaftswachstums, und sie erlaubt mehr Chinesen, vom Boom in der digitalen Wirtschaft zu profitieren.« (Seite 71)

Winston Ma zeichnet von der wirtschaftlichen Situation Chinas ein Bild des Aufbruchs. Im Aufbruch und auf dem Sprung nach vorn. Die Wachablösung kündigt sich bereits an: »Heute sind die US-Internetgiganten Amazon, Facebook, Apple und Google die globalen technologischen Innovationsführer. Aber die nächste Generation von Start-ups wird sich vielleicht auch von Unternehmen wie Alibaba und Tencent inspirieren lassen.« (Seite 85) Mit den Unternehmen der digitalen Technologie und der KI ist die »alte« chinesische Wachstumsgeschichte laut Winston Ma vorbei, derzufolge ein weniger entwickeltes Land aufgrund seiner niedrigen Lohnkosten und billigen Rohstoffe die Produktion und damit auch den Export massiv vorantreiben kann.

Die westlichen Staaten sollten sich von Chinas Fortschritten keineswegs beunruhigen lassen, meint Ma, sondern sich lieber darauf konzentrieren, ihre führende Position in den Naturwissenschaften und der Innovation zu behaupten. Das neue Verhältnis zwischen China und dem Westen ist gleichzeitig sowohl von Konkurrenz als auch von Zusammenarbeit geprägt: »Da sich die Weltwirtschaft im Übergang zu einer digitalen Ökonomie befindet, sollte ein globaler Dialog über Offenheit und wechselseitigen Nutzen in einem neuen Rahmen geführt werden, etwa der Initiative der digitalen Seidenstraße, weil der freie Fluss von Gütern, Kapital, Wissen und Daten den Kern der digitalen Ökonomie ausmacht.« (Seite 85)

Was steuert die Datenökonomie?

Daten, schreibt *Justus Haucap* in seinem Essay *Macht, Markt und Wettbewerb: Was steuert die Datenökonomie?,* entwickeln sich »immer mehr zum wichtigsten Innovationstreiber unserer Wirtschaft und zu einem essenziellen Rohstoff, ohne den eine wettbewerbsfähige Produktion von Gütern und Dienstleistungen zumindest in manchen Branchen kaum mehr möglich ist«. (Seite 5) Außerdem haben mit Daten arbeitende Unternehmen – wie etwa Amazon, Google, Facebook – den großen Unternehmen den Rang abgelaufen, die mit Erdöl oder Gas operierten, also mit handfesten, schweißtreibend gewonnenen Bodenschätzen, und die jahrelang die Listen der umsatzstärksten Unternehmen angeführt haben. Im Gegensatz zu Gas und Öl, die berechenbar endliche Rohstoffe sind und verbraucht werden können, »sind Daten eben keine erschöpfbare Ressource, und sie werden auch ge- statt verbraucht. Die Flut an Daten ist schier unendlich, und die Nutzung von Daten durch einen Anwender schließt prinzipiell – anders als beim Öl – erst einmal nicht aus, dass auch andere die Daten nutzen.« (Seite 7)

Das wirtschaftliche Potenzial von Daten liegt hauptsächlich in der Effizienzsteigerung, in logistischen Optimierungsmöglichkeiten. Betriebsabläufe können optimiert, hemmende Hindernisse identifiziert und gelöst werden. Daraus sind ganze Geschäftszweige entstanden. Justus Haucap wendet sich in seinem Essay vor allem den Sharing-Plattformen zu. »Charakteristisch für Vermittlungsplattformen sind sogenannte Netzwerkeffekte«, schreibt er. »Eine Suchmaschine ist für Nutzer umso attraktiver, je mehr Webseiten durchsucht und geordnet werden, und für Betreiber von Webseiten ist die Optimierung hin auf bestimmte Suchmaschinen umso attraktiver, je mehr Nutzer Suchanfragen über diese Suchmaschine starten.« (Seite 14) Dabei entwickelt sich ein Verhältnis, das gegenseitig voneinander profitiert und aufeinander angewiesen ist. Haucap buchstabiert das am Beispiel einer App für Fahrdienste aus: Sie gewinnt an Attraktivität für Kunden, je größer die reine Anzahl an möglichen Fahrern ist. Je mehr Möglichkeiten zur Nutzung, desto attraktiver wird das Angebot. Auch die Wartezeiten beispielsweise verkürzen sich mit der steigenden Anzahl an Fahrern. Gleichzeitig profitiert der Fahrer also auch durch die erhöhte Anzahl an Fahrern – und damit eigentlich die steigende Konkurrenz –, weil diese mehr Fahrgäste anzieht.

Eine unkonventionelle Position nimmt Haucap in der Frage ein, wodurch die unentgeltlichen Angebote im Netz aufgewogen werden. Dem gängigen Erklärungsmuster, dass man eben nicht mit Geld, sondern mit seinen privaten Daten bezahle, widerspricht er entschieden. Wenn überhaupt, schreibt er, dann zahle man mit der partiellen Aufgabe seiner Privatsphäre. »Zum einen dürfen Google und Facebook mit den Daten der Nutzer nicht tun, was sie wollen (anders als mit ihrem Geld). Die Unternehmen dürfen die Daten nur für Zwecke verwenden, denen der Nutzer zugestimmt hat. Und zum anderen sind die Daten der Nutzer nicht knapp. Jeder Nutzer kann jedem beliebig häufig erzählen, welche Musik er gern hört, wohin er gern reist, was er gern isst und so weiter, ohne dass er dadurch ärmer würde.« (Seite 16)

Haucap analysiert in einzelnen Kapiteln die großen Player der Datenverwertung, Google, Amazon, die Kommunikationsdienste Facebook und Twitter. Er lässt sich dabei nicht von kulturpessimistischen Maximen leiten – im Gegenteil entwirft er selbst in Aspekten, die sonst häufig herangezogen werden, um Bedrohungsszenarien zu untermalen, ein positives Bild. Die Kehrseiten blendet er nicht aus, hat aber insgesamt doch Vertrauen in die Wirksamkeit der Kontrollmechanismen und die Mündigkeit von uns Konsumenten. Und an Dämonisierungen beteiligt er sich in keiner Weise.

»Googles Marktmacht«, so Haucap, resultiert »aus der überlegenen Qualität der Dienste von Google sowie aus sehr spezifischen Größen- und Verbundvorteilen. So werden Googles Suchalgorithmus und damit Trefferlisten zum einen immer besser (das heißt den Nutzerwünschen entsprechend), gerade weil Google die meisten Suchanfragen hat und so die größten Lerneffekte erzielen kann. Zum anderen kann Google durch die Vielzahl seiner Dienste und die Kombination der daraus gewonnenen Daten exaktere Nutzerprofile anlegen und so mehr und mehr für den Nutzer ›maßgeschneiderte‹ Suchergebnisse liefern.« (Seite 24f.)

Einen hochinteressanten Aspekt der Datenverwertung greift Haucap schließlich noch auf. Und zwar den der »Preisdifferenzierung«, der »temporalen« und auch der »personalisierten«. Er beschreibt das Prinzip des »dynamic pricing«, ein System, das an Tankstellen schon lange angewandt wird, das zunehmend auch von großen Supermarktketten übernommen wird, indem sie elektronische Preisschilder einführen. Dort können schnelle Preisänderungen ohne größeren Aufwand durchgeführt werden. Viele Unternehmen arbeiten auch »mit individualisierten Rabattcoupons, die den Kunden auf ihr Smartphone gesendet werden oder die sie nach Einlesen einer Kundenkarte, auf der die Einkaufshistorie gespeichert wird, durch Ausdruck am Automaten in der Filiale erhalten können«. (Seite 50) Diese Entwicklungen könnten zu einer größeren Ausdifferenzierung in der Preisgestaltung führen, die Preise für einzelne Kunden dürften noch stärker auseinanderklaffen, die Spielräume mit Rabatten und Lockangeboten noch größer werden.

Haucap verschweigt auch die Bedrohungen keineswegs: »Problematisch könnte es – zumindest theoretisch – bei Krankenversicherungen sein, die – mit Ausnahme der privaten Krankenversicherungen – dezidiert solidarisch angelegt sein sollen.« (Seite 52) Bei Autoversicherungen, so Haucap, könnten Anreize und Überprüfungsmöglichkeiten zu noch sichererem Fahren führen. Bei Krankenversicherungen droht jedoch die Gefahr der Entsolidarisierung und damit der Verlust eines grundlegenden Prinzips unseres ganzen Krankenversicherungssystems.

Warum werden die Preisdifferenzierungen angesichts ihrer Vorteile noch nicht weiträumig umgesetzt? Die technischen Möglichkeiten, stellt Haucap klar, sind gegeben, der Diskurs also »der unternehmerischen Praxis weit voraus«. Grund für die ausbleibende Umsetzung »ist nicht nur die mögliche Trägheit auf Unternehmensseite. Vielmehr sprechen kundenseitige Barrieren der Akzeptanz ›unfairer‹ Preisdiskriminierung gegen eine flächendeckende Einführung bestimmter Diskriminierungsmechanismen.« (Seite 58)

Den Boom der Sharing Economy erklärt sich Haucap folgendermaßen: »Zwei Gründe sind dafür im Wesentlichen maßgeblich: Erstens reduziert das Internet die Suchkosten in ganz erheblicher Weise, das ›Matching‹ von Anbietern und Nachfragern auch für kleine Transaktionen (wie eine kurze Stadtfahrt oder eine Übernachtung) wird durch Onlineplattformen wesentlich einfacher. Und zweitens löst das Internet das Problem fehlenden Vertrauens zwischen ehemals weitgehend anonymen Anbietern und Nachfragern.« (Seite 63) Vermeintlich entsteht also eine größere Transparenz, die freie Veröffentlichung von Bewertungen im Internet gibt die Möglichkeit der Nachprüfbarkeit für jeden Einzelnen. Und auch ökonomisch bieten sich Vorteile: »Das Teilen knapper Ressourcen, das so einfacher möglich wird, ist ökonomisch gesehen effizient, da die Ausnutzung von ansonsten ungenutzten Ressourcen so gesteigert werden kann.« (Seite 64) Haucap wird nicht müde, die Möglichkeiten und die Vorteile aufzuzeigen, die in Datenerfassung und Datennutzung liegen. Er beklagt, dass wir die Chancen, die darin liegen, gar nicht zu ergreifen in der Lage sind, weil wir zu viele Vorbehalte und Ängste haben, die mit der Datennutzung verbunden sind. Die großen Internetfirmen sind auch aus diesem Grund allesamt nicht in Deutschland zu finden.

Um bei der Frage, wie wir das Potenzial besser nutzen können, voranzukommen, stellt Haucap abschließend einige Forderungen auf: »Wir müssen eine Agenda abarbeiten, so dass nicht Einzelmaßnahmen von speziellen Interessengruppen für ebendiese eingeführt werden können. Zudem müssen wir die entstandene und weiter entstehende Marktmacht der Internetgiganten wirksam beaufsichtigen – nicht aber, indem wir sie an weiteren Innovationen hindern, sondern indem wir Märkte offenhalten und es auch anderen ermöglichen, innovativ zu sein.« (Seite 80)

Schlussbemerkung

Welche Gemeinsamkeiten kann man finden, die diese sechs Essays mit ihren sechs verschiedenen Einblicken in bestimmte Bereiche der Ökonomie und der Gesellschaft verbinden? Eine durchgehende Linie ist der Ruf nach einer ordnenden Hand der Politik. Die Veränderungen, die gefordert und vorausschauend skizziert werden, können ihre größte Wirksamkeit erreichen, wenn sie von einer starken Politik, die die entsprechenden Rahmenbedingungen schafft, begleitet und durchgesetzt werden.

Stefan Klein wünscht sich, dass die Politik sich auf einen neuen Schwerpunkt ausrichtet, um das Wohlbefinden eines jeden Einzelnen über seinen Wohlstand zu setzen. Mara Harvey fordert die Durchsetzung des Gleichheitsgrundsatzes und wirksame Maßnahmen gegen die immer noch bestehende

Ungleichheit in der Behandlung von Männern und Frauen in der Arbeitswelt und auch im Verhältnis zu ökonomischen Fragen. Justus Haucap wünscht, dass die Politik die Unternehmensgiganten nicht als Gegner ansieht und die drohende Monopolisierung nicht durch Beschneidung verhindert, sondern ihr durch Stärkung des Wettbewerbs um Innovationen entgegenwirkt. Milosz Matuschek und Philipp Mattheis erwarten einen gesetzlichen Rahmen, der in der Lage ist, anarchokapitalistische Unternehmensgründungen im Feld der Krypto-Währungen überhaupt zu fassen. Winston Ma zeigt, wie klar durchdachte und konsequent angewandte politische Maßnahmen einen kaum für möglich gehaltenen Aufschwung anstiften und eine ganze Gesellschaft grundlegend verändern können. Tobias Werron sucht ein deutliches politisches Bekenntnis zum liberalen Nationalismus gegen seine unangenehmen Ausprägungen.

»You never change things by fighting the existing reality. To change something, build a new model that makes the existing model obsolete«, lautet ein Zitat von Buckminster Fuller, das Milosz Matuschek und Philipp Mattheis einem Kapitel ihres »Reiseberichts« zum utopischen Ort Kryptopia voranstellen. Neue Modelle finden sich in den sechs Essays dieser Box, Denkanregungen, unkonventionelle Perspektiven, die in Zeiten, in denen wir »Alternative« fast nur noch als Kennzeichen für eine rückwärtsgewandte, protestbehauptende Verweigerungshaltung wahrnehmen, auch dafür sorgen können, diesen heute so notwendigen Begriff zurückzuerobern.

Ökonomien der Zukunft

Dieses Buch ist Teil eines multidisziplinären Diskurses zu den zentralen Fragen unserer Zeit.

Dabei konzentrieren sich unsere Publikationen auf jeweils ein Thema, das aus einer Box mit sieben Büchern besteht.

In sechs zugänglichen Essays geben unsere Autorinnen und Autoren Einblicke in ihre unterschiedlichen Perspektiven. In einem exklusiv der Themenbox hinzugefügten siebten Buch werden Kontroversen und Schnittstellen weitergedacht.

Stefan Klein	Die Ökonomie des Glücks
Mara Catherine Harvey	Women and Risk
Milosz Matuschek **Philipp Mattheis**	Kryptopia
Tobias Werron	Der globale Nationalismus
Winston Ma	Die digitale Seidenstraße: Chinas neue Wachstumsstory
Justus Haucap	Macht, Markt und Wettbewerb: Was steuert die Datenökonomie?
+ Perspektivwechsel	Die Essays zusammen betrachtet

Heute nach den Antworten für die Fragen von morgen suchen

Heute nach den Antworten für die Fragen von morgen suchen

Heute nach den Antworten für die Fragen von morgen suchen

Heute nach den Antworten für die Fragen von morgen suchen

Heute nach den Antworten für die Fragen von morgen suchen

Heute nach den Antworten für die Fragen von morgen suchen

Heute nach den Antworten für die Fragen von morgen suchen

Heute nach den Antworten für die Fragen von morgen suchen

Heute nach den Antworten für die Fragen von morgen suchen

Heute nach den Antworten für die Fragen von morgen suchen

Heute nach den Antworten für die Fragen von morgen suchen

Heute nach den Antworten für die Fragen von morgen suchen

Heute nach den Antworten für die Fragen von morgen suchen

Heute nach den Antworten für die Fragen von morgen suchen

Heute nach den Antworten für die Fragen von morgen suchen

Heute nach den Antworten für die Fragen von morgen suchen

Heute nach den Antworten für die Fragen von morgen suchen

Heute nach den Antworten für die Fragen von morgen suchen

Heute nach den Antworten für die Fragen von morgen suchen

Heute nach den Antworten für die Fragen von morgen suchen

Heute nach den Antworten für die Fragen von morgen suchen

Heute nach den Antworten für die Fragen von morgen suchen

Heute nach den Antworten für die Fragen von morgen suchen

Heute nach den Antworten für die Fragen von morgen suchen

Heute nach den Antworten für die Fragen von morgen suchen

Heute nach den Antworten für die Fragen von morgen suchen

Heute nach den Antworten für die Fragen von morgen suchen

Heute nach den Antworten für die Fragen von morgen suchen

Heute nach den Antworten für die Fragen von morgen suchen

Heute nach den Antworten für die Fragen von morgen suchen

Heute nach den Antworten für die Fragen von morgen suchen

Heute nach den Antworten für die Fragen von morgen suchen

Heute nach den Antworten für die Fragen von morgen suchen

Heute nach den Antworten für die Fragen von morgen suchen

Heute nach den Antworten für die Fragen von morgen suchen

Heute nach den Antworten für die Fragen von morgen suchen

Heute nach den Antworten für die Fragen von morgen suchen

Heute nach den Antworten für die Fragen von morgen suchen

Heute nach den Antworten für die Fragen von morgen suchen

Heute nach den Antworten für die Fragen von morgen suchen

Heute nach den Antworten für die Fragen von morgen suchen

Heute nach den Antworten für die Fragen von morgen suchen

Heute nach den Antworten für die Fragen von morgen suchen

Heute nach den Antworten für die Fragen von morgen suchen

Heute nach den Antworten für die Fragen von morgen suchen

Heute nach den Antworten für die Fragen von morgen suchen

Heute nach den Antworten für die Fragen von morgen suchen

Heute nach den Antworten für die Fragen von morgen suchen

Heute nach den Antworten für die Fragen von morgen suchen

Heute nach den Antworten für die Fragen von morgen suchen

Heute nach den Antworten für die Fragen von morgen suchen

Heute nach den Antworten für die Fragen von morgen suchen

Heute nach den Antworten für die Fragen von morgen suchen

Heute nach den Antworten für die Fragen von morgen suchen

Heute nach den Antworten für die Fragen von morgen suchen

Heute nach den Antworten für die Fragen von morgen suchen

Heute nach den Antworten für die Fragen von morgen suchen

Heute nach den Antworten für die Fragen von morgen suchen

Heute nach den Antworten für die Fragen von morgen suchen

Heute nach den Antworten für die Fragen von morgen suchen

Heute nach den Antworten für die Fragen von morgen suchen

Heute nach den Antworten für die Fragen von morgen suchen

Heute nach den Antworten für die Fragen von morgen suchen

Heute nach den Antworten für die Fragen von morgen suchen

Heute nach den Antworten für die Fragen von morgen suchen

Heute nach den Antworten für die Fragen von morgen suchen

Heute nach den Antworten für die Fragen von morgen suchen

Heute nach den Antworten für die Fragen von morgen suchen

Heute nach den Antworten für die Fragen von morgen suchen

Heute nach den Antworten für die Fragen von morgen suchen

Heute nach den Antworten für die Fragen von morgen suchen

Heute nach den Antworten für die Fragen von morgen suchen

Heute nach den Antworten für die Fragen von morgen suchen

Heute nach den Antworten für die Fragen von morgen suchen

Heute nach den Antworten für die Fragen von morgen suchen

Heute nach den Antworten für die Fragen von morgen suchen

Heute nach den Antworten für die Fragen von morgen suchen

Heute nach den Antworten für die Fragen von morgen suchen

Heute nach den Antworten für die Fragen von morgen suchen

Heute nach den Antworten für die Fragen von morgen suchen

Heute nach den Antworten für die Fragen von morgen suchen

Heute nach den Antworten für die Fragen von morgen suchen

Heute nach den Antworten für die Fragen von morgen suchen

Heute nach den Antworten für die Fragen von morgen suchen

Heute nach den Antworten für die Fragen von morgen suchen

Heute nach den Antworten für die Fragen von morgen suchen

Heute nach den Antworten für die Fragen von morgen suchen

Heute nach den Antworten für die Fragen von morgen suchen

Gestaltung und Satz: Huelsenberg Studio, Berlin
Gesetzt aus der Suisse Works und Suisse Int'l
Druck und Bindung: GGP Media GmbH, Pößneck

nicolai-publishing.com
discuss@nicolai-publishing.com

Twitter / Instagram: @nicolaidiscuss

Dieses Buch ist auch als E-Book erhältlich.

Printed in Germany
ISBN 978-3-96476-023-4

Never, never rest contented with any circle of perspectives, but always be certain that a wider one is still possible.

Richard Jefferies